Collection
Jeunesse/Romans
dirigée par
Raymond Plante

Cécile Gagnon

Un chien, un vélo et des pizzas

Roman

QUÉBEC/AMÉRIQUE

425, rue Saint-Jean-Baptiste,
MONTRÉAL (Québec)
H2Y 2Z7
Tél.: (514) 393-1450

Données de catalogage avant publication
Gagnon, Cécile, 1938-
  Un chien, un vélo et des pizzas

(Collection Jeunesse/Romans)
ISBN 2-89037-352-5

  I. Titre   II. Collection.
PS8513.A345H58 1987   jC843'.54   C87-090258-X
PS9513.A345H58 1987
PQ3919.2.G34H58 1987

Ce livre a été produit avec un ordinateur Macintosh
de Apple Computer Inc.

TOUS DROITS DE TRADUCTION, DE
REPRODUCTION ET D'ADAPTATION
RÉSERVÉS
©1987 Éditions Québec/Amérique
Dépôt légal
4e trimestre 1987
Bibliothèque nationale du Québec
ISBN 2-89037-352-5

DANS LA MÊME COLLECTION

TITRES RÉCENTS

Alfred dans le métro, Éd. Héritage, Coll. Pour lire avec toi, 1980

Johanne du Québec, Éd. Flammarion, Albums du Père Castor, 1982

La Maison Miousse, Éd. de l'Amitié, Coll. Ma première amitié, 1983

Opération Marmotte, Éd. Héritage, Coll. Pour lire avec toi, 1985

Bonjour l'arbre, Éd. du Raton Laveur, 1985

J'ai chaud!, Éd. du Raton Laveur, 1986

J'ai faim!, Éd. du Raton Laveur, 1986

L'Ascenceur d'Adrien, Éd. Héritage, Coll. Libellule, 1986

Pour Christiane L.,
la fille la plus rapide en ville

Présentation

Ce récit n'est pas tout à fait un récit comme les autres. Il n'est pas l'œuvre d'un seul auteur. En effet, nous avons été trente-trois à y travailler. Ce roman est le résultat d'un projet mis sur pied en juin 1985 par Cécile Gagnon et proposé à Sonia Sinki, enseignante de la sixième année à l'école Guillaume-Vignal de Brossard.

En novembre 1985, les trente-deux élèves de sa classe ont commencé un travail de recherche et d'exploration avec une auteure. Ce travail s'est poursuivi tout au long de l'année scolaire jusqu'en juin 1986.

Nous avons traversé plusieurs

étapes: recherche sur le langage, exploration des formes d'expression puis choix des lieux et cueillette d'informations. Une grande partie du travail scolaire s'est fait autour de cette recherche et à partir d'éléments choisis grâce à la complicité de l'enseignante. Certains élèves ont réalisé des enquêtes auprès du dépanneur et de l'imprimerie locale. On a invité dans la classe Madame Georgette Lepage, Maire de la ville, pour l'interroger. Se sont intégrées naturellement à la matière toutes sortes d'expériences vécues.

Nous avons eu de longues discussions sur les modes d'écriture, sur la façon de traiter certains sujets, sur les choix des épisodes et sur le phénomène du vol. Le sujet du roman et son développement n'avaient pas été décidés à l'avance. Tous les choix et les décisions se sont faits démocratiquement, après consultation avec les élèves. En fin de compte, l'auteure a rédigé l'histoire en utilisant le matériel proposé par les enfants et en y ajoutant ses propres habiletés, sa personnalité et sa propre connaissance des lieux.

Cette histoire est donc une aventure partagée et qui se veut le reflet des préoccupations et des désirs des jeunes de sixième année ou plutôt des trente-deux élèves d'une même classe. Il va sans dire que l'action de déroule dans la ville même de Brossard.

Je tiens à remercier Colette Bédard, la responsable de la bibliothèque de l'école Guillaume-Vignal pour son aide précieuse et France Le Petitcorps, conseillère pédagogique en français à la Commission scolaire de Brossard de son appui constant. Une bourse du programme Accessibilité du ministère des Affaires culturelles du Québec a permis la réalisation de ce projet.

Une des trente-trois
Cécile Gagnon

N.B. Les noms de Charlo, Guimauve, Dora de Blettec, Ani Sinikos, Jean Mérode ont été choisis parmi les anagrammes et les logogriphes faits par les élèves. Ils se réfèrent pour la plupart à des personnes ou à des lieux existant véritablement.

Le mot *thám tu'* est un nom commun vietnamien qui signifie exactement: <u>détective</u>.

École Guillaume-Vignal, 6ᵉ année (1985-1986)

Liste des élèves qui ont participé à ce projet:

Bissonnette, Yvan
Bouchard, Alexandre
Canuel, Amélie
Caron, Marie-Ève

Chamberland, Éric
Charbonneau, Yves
Chartrand, Pascal
D'Anjou, Julie
Denizon, Jean-François
Duhaime, Anne-Renée
Dupras, Benoît
Faucher, Caroline
Gagné, Louis
Hétu, Marie-Josée
Horvat, Cathy
Lacroix, Philippe
Leblanc, Marie-Pierre
Ledoux, Nancy
Lessard, Martin
Levesque, Caroline
Marcoux, François
Marquis, Vincent
Martin, Alexandre
Mazigi, Alexandre
Ostiguy, Élise
Passé, Stéphanie
Pierre, Carl-Henri
Renaud, Daniel
Roy, Simon
St-Onge, Hélène
Veilleux, Stéphanie
Verrault, Marie-France

Chapitre 1

– Quoi? Qu'est-ce que tu racontes? Ton beau gant flambant neuf? demande Charlo.

– Ouais. Dans ma case, en plus de ça. Je ne l'avais pas laissé traîner, pourtant. Et puis, ce soir, on joue, murmure Alexandre.

– Si ça peut te consoler, on dirait que tu n'es pas le seul. La calculatrice de Marie-Pierre a disparu aussi, dit Charlo.

– Ah! je me demande bien ce qui se passe en ce moment. On dirait que c'est la saison des voleurs. Chaque jour, à l'école, il y a quelque chose qui disparaît.

– Peut-être que ce sont des gars de l'équipe de Saint-Lambert qui te trouvent trop bon, ajoute Charlo, l'air moqueur.

– T'es pas drôle. C'est à l'école que ça s'est passé, pas au terrain de base-ball, rugit Alexandre.

– Ah! tout le monde se fait voler quelque chose un jour ou l'autre, dit Charlo.

– C'est ça, reprend Alexandre, fais-moi donc un sermon. Quand ça t'arrivera à toi, tu riras moins.

Soudain, une grande fille brune vient vers les deux garçons en courant. Elle murmure:

– Charlo! Alexandre! Savez-vous quoi? Élise s'est fait voler son vélo dans la cour!

Le visage de Charlo perd instantanément toutes ses couleurs. D'un geste brusque, il bouscule ses deux compagnons et file vers l'escalier sans donner d'explications. On le dirait emporté comme un bolide vers la sortie. Arrivé dans la cour, il se précipite vers les supports à vélos. Il évite un attroupement d'élèves dont certains le hèlent au passage:

– Hé! Charlo...

– Charlo, viens ici. On a quelque cho...

Mais Charlo n'entend pas. Ses yeux

se posent sans hésiter au milieu de l'amas de roues, de guidons, de garde-boue qui constitue l'espace réservé au stationnement des bicyclettes des écoliers. Il repère la jolie couleur bleu-gris de sa superbe bicyclette neuve. Une dix-vitesses de marque Peugeot qui roule à merveille.

Ça ne fait même pas dix jours qu'il en est le fier propriétaire. S'il avait fallu qu'elle n'y soit plus! Maintenant qu'il s'est assuré de sa présence, le cœur de

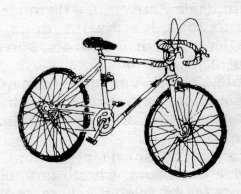

Charlo reprend son rythme normal. S'il avait fallu...

Il se demande justement: «Qu'est-ce que j'aurais fait, si elle n'avait pas été là?» Tout à coup, il comprend mieux la peine de son ami Alexandre. Au moment où l'idée de se faire voler son vélo a effleuré son esprit, il a senti la rage entrer dans son cœur. Une rage folle. Contre qui? Il ne sait pas. Mais une rage quand même, contre tout ce qui n'est pas juste, contre ce qui fait qu'on est triste ou malheureux, contre les méchants qui volent les choses qu'on aime. Mais qui sont donc ces «méchants», ces voleurs?

Charlo s'est acheté sa belle bicyclette bleu-gris tout seul, avec son argent. Pour y arriver, il a distribué *La Presse* tous les matins dans son quartier. De 6 h à 6 h 45. Après, il fallait déjeuner, puis, vite, partir pour l'école. Alors, pas question qu'on vienne lui ravir le fruit de son travail acharné. Jamais. Ça, il ne pourrait pas le supporter.

La cloche sonne et annonce la reprise des cours. Charlo farfouille à travers les bicyclettes, glisse sa main sur le cadre et vérifie que le cadenas est bien fermé. «La grosse chaîne est à l'épreuve des voleurs. Rien à craindre», se dit-il. Enfin rassuré, il rejoint les jeunes qui se bousculent tandis que, dans la cour, on donne un dernier coup de pied au ballon. Il prend son temps pour entrer. Les poings au fond des poches, il continue de réfléchir: «Si le voleur du gant de base-ball était quelqu'un qu'on connaît bien? quelqu'un de notre classe? Pourtant, ça ne se cache pas facilement! Peut-être que son gant était trop beau, trop neuf, trop tentant. Je suis sûr qu'il doit y en avoir des copains qui m'envient mon vélo neuf. Simon, par exemple, qui a un vieux bazou tout rouillé, est-ce qu'il me le volerait, mon vélo? Moi, quand je songeais à m'acheter une bicyclette neuve, je n'avais pas pensé à en voler un? Mais... quand on se fait prendre, comment se sent-on? Et quand on ne se fait PAS prendre?»

Charlo ne sait plus très bien comment répondre à toutes ses interrogations. Il traîne dans le corridor vide. La porte de sa classe vient de se refermer. Tout est silencieux. «Si je voulais, songe-t-il, je pourrais voler n'importe quoi dans les cases; mais j'aurais trop peur. Les vrais voleurs, peut-être n'ont-ils jamais peur, eux?»

Charlo revoit en pensée la chaîne à gros maillons qui retient son vélo au support dans la cour. Le cadenas est gros: un supersolide. Mais cette garantie de sécurité est-elle à toute épreuve? Charlo sent un léger frisson le traverser.

Justement, à cet instant précis, au bout du couloir, il aperçoit la silhouette de deux policiers en uniforme près du bureau de la directrice. Ils viennent sans doute enquêter sur les vols à l'école. Vite, il rentre dans sa classe et referme doucement la porte.

Chapitre 2

Quand la cloche sonne à 11 h 45 ce jeudi-là, les écoliers se ruent dehors. Le soleil brille. Quel plaisir de pouvoir rentrer à la maison en bicyclette en faisant deux ou trois petits détours avec les copains! Charlo a faim. Il se dit qu'il mangera son sandwich dehors, au soleil.

Mais lorsqu'il arrive près du support à vélos, sa bonne humeur s'évanouit tout d'un coup. La chaîne à gros maillons traîne par terre, le cadenas supersolide ne retient plus rien. Sa monture bleu-gris si rutilante n'est plus à sa place.

Charlo fige puis, au grand étonnement des écoliers, lance un hurlement de colère.

À 16 h, une voiture de police est stationnée devant l'école. Son gyrophare inonde le bureau de la directrice d'étranges lueurs rouges. Charlo est assis devant les deux policiers en uniforme. Sur ses joues, des larmes de rage ne sont pas encore tout à fait séchées. Même s'il fait de grands efforts pour se retenir, ses réponses sont souvent entrecoupées de sanglots. Il a un nœud dans la gorge qui ne veut pas s'en aller. Le plus jeune des policiers questionne:

– Marque de bicyclette?

– Peugeot sport, répond Charlo.

– Sais-tu le numéro de série? continue le policier.

Charlo sort un papier plié en quatre du fond de sa poche et lit:

– SK 1876 670 IS.

– As-tu une idée de sa valeur?

Sans attendre la réponse, le policier ajoute:

– Il faudrait demander à tes parents.

– Ce n'est pas la peine, fait Charlo. C'est moi qui l'ai payée. Deux cent quatorze dollars, plus la taxe, dit-il d'une voix forte en se redressant sur son siège et en coupant court à ses tremblements saccadés.

Charlo a donné tous les renseignements et répondu à toutes les questions. Les policiers achèvent de rédiger leur procès-verbal.

– Tu peux rentrer chez toi maintenant, dit la directrice.

Mais il n'a pas envie de quitter le bureau tout de suite. Une question lui brûle les lèvres.

– Vous allez le retrouver? lance-t-il.

Le policier lève les yeux de son papier, le regarde et soupire.

– On va faire tout notre possible. Mais aussi bien que tu le saches tout de suite. C'est bien rare qu'on retrouve les bicyclettes volées.

– Comment ça? s'étonne Charlo, sentant le nœud de tout à l'heure lui remonter dans la gorge.

Le policier tente une explication:

– Il y a des centaines de vélos volés chaque jour. Il y a des réseaux... on les revend dans d'autres villes.

Charlo pense avec douleur à toutes ces semaines où, six matins sur sept, il allait de porte en porte, par tous les temps, distribuer le journal en rêvant de son futur beau vélo tout neuf. Il va lui falloir tout recommencer!

Sans entrain, la tête vide, il sort de l'école. Contrairement à ce qui se passe à l'heure de sortie des écoliers, où tout n'est qu'exclamations et brouhaha, les alentours sont calmes. Il avance machinalement dans la rue, sans trop savoir où il va. Les mots du policier lui trottent dans la tête: «C'est bien rare qu'on les retrouve.»

«Comment se fait-il donc que les policiers ne réussissent pas à attraper les voleurs? Ils ont pourtant un tas d'instruments: des ordinateurs, des motos pour aller vite, des postes un peu partout dans la ville et de grosses voitures dans lesquelles ils peuvent même téléphoner. Est-ce que, par hasard, les voleurs seraient plus futés qu'eux? Moi, je saurais comment faire pour les trouver...» pense Charlo en se dirigeant vers le dépanneur.

Trois copains accourent vers lui et le bombardent de questions:

– Qu'est-ce qu'ils ont dit?

– Qui sont les bandits?

– Qu'est-ce que tu vas faire?

Mais Charlo n'a pas le cœur à répondre. Et puis, il ne sait pas du tout ce qu'il va faire. Il dérive au milieu de ses amis qui rient, gesticulent et semblent avoir balayé de leur mémoire sa triste aventure. Il observe distraitement le va-et-vient autour du dépanneur. Des voitures s'arrêtent, repartent, des gens entrent et sortent. Une grande animation y règne en permanence. Quand on s'ennuie, il n'y a pas de meilleur endroit à fréquenter. On trouve toujours quelqu'un à qui parler, une nouvelle à apprendre, une bricole à acheter ou à échanger et même un service à rendre.

En effet, Jean Mérode, le propriétaire, demande souvent aux jeunes de petites commissions ou tâches qu'ils s'empressent d'accomplir en s'en disputant l'honneur. En somme, le dépanneur est une espèce de point de ralliement pour les enfants du quartier. C'est un endroit tout à fait merveilleux où on trouve une quantité de choses délicieuses à manger et à boire: bâtons de réglisse, gommes balounes, croustilles, *pop-corn, cream soda,* lait au chocolat, *popsicles,* etc. Ici, jamais on n'entend ces discours casse-pieds sur la santé, sur les groupes d'aliments et sur la carie dentaire.

Pas étonnant qu'il y ait toujours une foule de jeunes autour du dépanneur. Même s'ils n'ont pas toujours assez de sous pour s'offrir les friandises rêvées, seulement l'odeur des journaux, des bonbons et des boissons sucrées les enchante.

Sortant petit à petit de ses réflexions, Charlo s'approche d'Alexandre, qui déguste un *Mae West*. Son chien Guimauve, qui le suit partout, lèche les miettes qui tombent à ses pieds. Ah! ce Guimauve! Jamais on n'a vu un chien pareil. Lui, il n'a jamais été influencé par les réclames de nourriture pour chiens à la télé! Oh non! Lui, il n'aime que la pizza!

Son maître, Alexandre, est un grand sportif. Il joue au base-ball, il nage et il s'entraîne sérieusement pour le marathon. Guimauve ne le lâche pas d'une semelle, même quand Alexandre roule en vélo. On dirait qu'il lui voue une reconnaissance éternelle pour l'avoir recueilli un soir d'hiver avec son oreille à moitié arrachée et sa patte cassée. Tous les mercredis, il attend sagement son maître à la porte de la piscine.

– Alors, Charlo, te voilà à pied, lance

Alexandre. Je suis triste pour toi. Qu'est-ce que tu vas faire?

– Reprendre mon vieux bazou rouillé, je n'ai pas le choix. Heureusement que je l'ai encore, dit Charlo.

– Mais les policiers... commence Alexandre.

– Ah! ceux-là; ils disent que c'est impossible. Mais moi, je n'ai pas envie de lâcher; je voudrais tenter une petite enquête. Qu'est-ce que tu en penses?

– Une vraie, comme à la télé? demande Alexandre.

– Pourquoi pas? Tu veux t'associer à moi? On pourrait peut-être retrouver ton gant de base-ball et même la calculatrice de Marie-Pierre, poursuit Charlo.

– Il faudrait qu'on se donne un nom secret, comme... euh... les superfouineurs..., pense tout haut Alexandre.

– Non, un vrai nom de détectives, dit Charlo.

– J'ai trouvé: *thám tư* ! On devrait s'appeler les *thám tư*. En vietnamien, ça veut dire les détectives, propose Alexandre.

– En vietnamien! Fameux! Comme ça, personne ne comprendra sauf nous!

Mais attention à ta famille: faut pas qu'elle se doute...

– Ah! t'en fais pas. Je dirai que je t'apprends la langue.

– Hé! ça me plairait bien d'apprendre la langue de ton pays. Pour vrai. Mais pour le moment... on est des *thám tu'*, et on a du travail, hein?

À ce moment Guimauve s'agite, se met à grogner et à japper. Ce chien est vraiment un curieux phénomène. En plus d'aimer la pizza, il aboie chaque fois qu'il voit une voiture rouge! Alexandre a toutes les peines du monde à le faire taire tandis que s'éloigne une camionnette de cette couleur. Le calme revenu, les deux *thám tu'* reprennent leur conversation:

– Par quoi va-t-on commencer? demande Alexandre.

– Eh bien, d'abord il faudrait surveiller les gens qui roulent à bicyclette et examiner leurs montures, dit Charlo.

– On n'a qu'à aller sur la piste cyclable, ce soir, après le souper, propose Alexandre.

– Ici, ce n'est pas mauvais non plus, remarque Charlo en indiquant d'un geste un groupe d'adolescents de la polyvalente qui arrivent en trombe devant le dépanneur.

Avant même que les deux compères aient eu le temps de se mettre d'accord, la porte du magasin s'ouvre avec fracas. Jean Mérode en sort brusquement. Il a l'air très fâché.

– Bougrine de bougrine! crie-t-il. Fichez-moi le camp d'ici, espèces de cornichons à roulettes. Et enlevez-moi ces vélos de devant la porte! Pis vite! Dehors, le chien! C'est assez pour aujourd'hui! Me faire voler sous mon nez, en plein jour..., bougrine de bougrine! Pis ramassez vos papiers sales; la poubelle, elle n'est pas là pour rien! Ah! les chenapans.

– Tu as entendu, Charlo?

– Il s'est fait voler lui aussi, dit Alexandre. Je me demande quoi.

– Tu vois qu'on ne va pas se tourner les pouces. Y'a du travail pour des détectives! Allons, on reviendra dans une demi-heure quand il se sera calmé. Tu m'emmènes sur ton vélo?

Chapitre 3

Une longue heure à observer les cyclistes sur la piste cyclable n'a pas donné de résultats spectaculaires. Mais les *thám tư* ne se découragent pas pour autant. Leur enquête ne fait que commencer.

Déjà, le lendemain, ils ont pris leurs nouvelles occupations très au sérieux.

– Le meilleur poste d'observation, déclare Charlo, c'est la cour de la polyvalente en face du dépanneur. Il y a des centaines et des centaines de bicyclettes entassées là, je te le dis!

– Je n'ai pas trop envie d'aller me faire agacer par ces grands-là, répond Alexandre.

– Ah! Alexandre, ne me dis pas qu'ils te font peur? Et puis on va inspecter des vélos, pas les gens qui sont assis dessus, fait Charlo.

– On pourrait bien aller voir aussi à l'aréna et au centre commercial, tant qu'à y être, propose Alexandre.

– Génial! Tu as parfaitement raison! Commençons par la polyvalente. Allons, en route!

Ce n'est pas une mince affaire pour deux «petits» d'aller fureter dans le territoire des «grands» de l'école secondaire, mais il faut ce qu'il faut! Charlo et Alexandre rassemblent tout leur courage et pénètrent, en feignant un air nonchalant, dans la cour de la polyvalente. Charlo roule très doucement tout en maintenant ses yeux rivés sur les supports à vélos. Ah! qu'il y en a! Alexandre, lui, circule dans un autre coin car, comme de vrais professionnels, ils se sont partagé le terrain.

Soudain Charlo voit une bicyclette Peugeot exactement comme la sienne. Même taille, même couleur. Il sent son cœur battre plus fort. Il s'arrête, laisse glisser son vieux vélo par terre et s'approche.

– C'est une sport, 10 vitesses, pareille! murmure-t-il.

Puis il crie:

– Hé! Alexandre! viens vite, ça ressemble à la mienne.

En lui-même, il pense: «J'ai juste à regarder s'il y a l'égratignure du côté gauche et à vérifier le numéro de série.» Mais une voix rude le fait sursauter:

– Aïe! les p'tits gars, allez rôder ailleurs.

Un grand bonhomme avec de larges épaules se tient sur le seuil et leur fait signe d'un geste autoritaire de quitter la cour. Mais Charlo n'a pas envie d'abandonner si vite la partie, surtout qu'il se croit bien près du but. Il invente aussitôt:

– Euh... je viens chercher ma sœur.

– Ta sœur, elle ne se cache pas dans les roues de bicyclettes. Tout le monde sort dans 20 minutes. Attends-la sur le trottoir. Allez, ouste! je ne veux plus vous voir ici. On se fait assez voler comme ça!

Les poings sur les hanches, l'homme fort surveille leurs mouvements pour voir s'ils obéissent à ses ordres. Il continue de crier:

– Et puis, sortez-moi ce chien de la cour!

Charlo est vraiment furieux d'être obligé d'abandonner son observation au moment même où elle semble fructueuse. Dans 20 minutes il sera peut-être trop tard. Il décide de revenir juste avant que ne se déclenche le tourbillon de la sortie des élèves. Mais voici que Guimauve, qui trotte sur les talons d'Alexandre sans s'occuper des vociférations du concierge, se met à aboyer comme un fou. Le concierge proteste de plus belle, le poing en l'air, mais on n'entend pas ses paroles à cause du bruit d'un moteur et des aboiements répétés du chien. Évidemment, Guimauve vient d'apercevoir une voiture rouge.

— Sûrement pas le chien idéal pour des détectives, marmonne Charlo, tandis qu'il voit filer, indifférente, une camionnette rouge avec un gros moustachu au volant.

— Puisqu'il nous reste du temps, allons au centre commercial tout de suite, suggère Alexandre. C'est pas loin.

— Bonne idée, dit Charlo. As-tu de l'argent sur toi?

— Pas plus d'un dollar, répond Alexandre. Pourquoi?

– On devrait s'acheter chacun un carnet pour noter nos remarques. Sinon on ne se souviendra plus de rien.

– D'accord, chef! Deux petits carnets pour les *thám tử!*

Charlo et Alexandre se mettent en route pour le centre commercial. Malheureusement, le résultat de leur recherche est piteux. Ils n'avaient pas pensé que les usagers des centres commerciaux roulent plutôt en voiture qu'en bicyclette. Le support à vélos est pratiquement vide, et les spécimens qu'il contient n'offrent aucun intérêt. Par contre, dans un stationnement de centre commercial, qu'est-ce qu'il peut y avoir comme voitures rouges! Guimauve se démène tant qu'il peut au grand désespoir de son maître. Les gens ne sont pas contents du tout et font des remarques fort peu gentilles à l'endroit du chien.

Heureusement, les deux enquêteurs ne traînent pas. Ils achètent rapidement, à la papeterie, deux magnifiques carnets noirs pour y inscrire les découvertes et les observations secrètes des *thám tử*. Ils repassent à toute vitesse devant les vitrines des magasins avant de repartir vers la polyvalente. Devant l'animalerie *Stéphane*, ils s'attardent un petit instant pour regarder les perruches qui s'ébattent dans les volières.

La porte du magasin s'ouvre et une dame en émerge, les bras chargés de paquets. Alexandre reconnaît aussitôt la chevelure rousse de sa voisine, Dora de Blettec. C'est une personne bien spéciale, cette voisine. D'abord c'est une championne de la parlotte, et Alexandre, qui la connaît bien, tire la manche de Charlo d'un geste très éloquent. Mais même en courant un peu, il leur est impossible d'éviter la rencontre.

– Alexandre! Ah! mon cher Alexandre, fait la dame. Attends de voir la nouvelle mangeoire que j'ai achetée pour mes petits chéris. Elle est tout simplement su-per-be! Et les graines, des graines de chardons SUC-CU-LEN-TES. Tiens! aide-moi à porter ça dans ma voiture. Oups! J'en ai trop! Oh! vous êtes deux? C'est encore mieux!

Charlo et Alexandre transportent en silence les paquets de Dora de Blettec jusqu'à sa voiture puis ils tentent de s'échapper, mais Dora les retient:

– Je suis certaine que ton ami et toi saurez m'installer ma nouvelle mangeoire comme des chefs. Ah! ça va être épatant! Juste sur le poteau au fond du jardin. Vous allez voir ça: tous les chardonnerets, les sizerins, les juncos ardoisés vont affluer chez moi. TOUS! Ils n'attendent que ça, les chers petits chéris à plumes...

Étourdis par la voix de Dora, Charlo et Alexandre restent muets. Encore un peu, ils en oublieraient leur enquête. Heureusement Charlo se ressaisit et annonce:

– C'est bien dommage, madame de Blettec, mais... on a une chose très importante à faire tout de suite; on est déjà en retard...

– C'est vrai, il faut y aller, renchérit Alexandre, convaincant.

– Ah! mais non! mais non! mes enfants. Il ne faut pas m'appeler madame! Ça ne convient pas à une protectrice des oiseaux. Appelez-moi Dora des Ailés.

– Bon, eh bien! on y va, coupe Charlo.

– Oui, c'est ça, au revoir, Mad...

euh... Dora des Zélés, fait Alexandre.

Cette fois, c'est vraiment en courant que Charlo et Alexandre s'éloignent du parc de stationnement. Enfourchant leurs bicyclettes, les deux enquêteurs filent vers la polyvalente pour arriver à temps. En roulant, Charlo s'approche d'Alexandre et dit:

– C'est tout un numéro ta voisine!

– Tu peux le dire! pouffe Alexandre. Un spécimen rare.

Les deux copains se mettent à zigzaguer comme des fous en chantant à tue-tête:

Toc, toc, toc, Dora
Dora des Ailés
Ton nichoir est fêlé
Dora la toquée!

T'as des trous dans l'grenier
Dora la toquée,
Le grand pic maculé
Ne t'a pas ratée!

Toc, toc, toc, Dora
Ton nichoir est craqué
Dora des Ailés,
Dora la toquée!

Chapitre 4

Il n'y a pas que des oiseaux qui s'agitent autour de la maison de Dora. Quelques voisins ont mis le nez dehors (ils l'avaient déjà, il faut bien l'avouer) quand ils ont vu la voiture de la police s'arrêter devant la porte. Alertés par les cris et les lamentations de madame de Blettec, tous les résidents de la rue Malo sont au courant de la nouvelle. Tandis qu'elle était au centre commercial, Dora des Ailés s'est fait cambrioler.

Pourtant, personne n'a rien vu d'anormal dans cette rue calme. La deuxième voisine qui peignait son balcon se souvient d'une blonde avec un corsage horrible qui est passée dans une voiture. Un corsage rose criard avec des pois verts. C'est tout.

En arrivant sur les lieux, Charlo et Alexandre échangent un coup d'œil rapide. Ils savent ce qu'il leur reste à faire. Devant l'attroupement des curieux, ils feignent une suprême indifférence et rangent leurs vélos dans le garage. Sans faire de bruit, ils traversent le jardin pour aller s'accroupir sous la fenêtre ouverte de la cuisine de la maison voisine. Voilà un poste d'écoute idéal.

– On va pouvoir noter dans nos carnets tout ce qu'ils disent, chuchote Alexandre.

– J'espère qu'on n'est pas arrivés trop tard, dit Charlo.

Guimauve comprend qu'il se passe quelque chose de grave. Il s'accroupit lui aussi au pied de la fenêtre. Il promet, d'un regard complice, de ne pas japper, de ne même pas manifester sa présence. Espérons qu'il va tenir parole!

– Chut!

– En résumé, fait une voix d'homme (le policier), on vous a volé seulement...

– Comment, *seulement*? fait la voix indignée de Dora. C'est dramatique!

Des pièces comme celles-là, il n'y en a même pas dans les musées, monsieur!

– Le bijou, les chaînes en or, c'est tout? recommence le policier agacé.

– TOUT? Comment ça, TOUT? C'est terrible: une broche en or en forme de mésange huppée, avec une émeraude à la place des yeux, vous ne trouvez pas que c'est assez?

– Elle a juste un œil, votre mésange? demande le policier très sérieux.

– Elle est de profil! crie Dora, exaspérée.

Charlo et Alexandre retiennent leur fou rire. Bien à l'abri dans les buissons, ils inscrivent dans leurs carnets: bijou précieux avec *hémerôde*.

– C'est quoi, une *hémerôde*? murmure Alexandre à l'oreille de son compagnon.

– Aucune idée.

La voix d'homme poursuit:

– Est-ce que votre coffret à bijoux était ouvert?

– Oh!... je ne sais pas. Il n'était pas fermé à clef, en tout cas, répond Dora. À clef, à clef... Tiens, ça me fait penser.

Quelques moineaux se posent doucement sur le bord de la fenêtre au-dessus des têtes de Charlo et Alexandre. Quelques moments de silence, puis la voix de Dora se fait entendre à nouveau:

– Mes clefs ont disparu. D'habitude, je les pose ici. Qu'est-ce que je vais faire sans mes clefs? Ah! je me rends compte que ceci est un vol extrêmement important, Messieurs, prononce Dora d'une voix solennelle.

– Bien sûr, fait la voix du policier, indifférente et lasse.

– Ah! vous ne me croyez pas? fait Dora, irritée. Je vais vous dire: des espions étrangers me surveillent, j'en suis sûre. C'est à cause des pigeons voyageurs... j'en héberge deux ici...

– Tu entends ça? murmure Charlo sous la fenêtre.

– J'inscris, note Alexandre.

Les deux amis se mettent à regarder les mangeoires et les nichoirs en essayant de distinguer les pigeons. Mais ce n'est pas facile car il y a une telle abondance de volatiles dans le jardin de Dora qu'on dirait la volière d'un zoo.

Les policiers terminent leur visite et sortent de la maison. Les deux *thám tu'* quittent leur poste d'écoute et rentrent chez Alexandre. Installés dans la cuisine, ils font le point.

– Tu y crois, toi, à ce réseau d'espionnage? demande Charlo.

– Ça pourrait être une piste, dit

Alexandre, mais je me demande pourquoi les espions auraient besoin d'un vélo et d'un gant de base-ball s'ils profitent des services de pigeons voyageurs. Et puis, avec Dora des Ailés, il faut se méfier. Elle invente de drôles d'histoires.

– Au fait, on va lui installer sa mangeoire? dit Charlo.

– La pauvre, elle doit être dans tous ses états, dit Alexandre. Mais d'abord il faut parler de notre visite à la polyvalente. Tu es sûr que ce n'était pas ta bicyclette?

– Sûr et certain. Le numéro de série n'était pas le même et elle avait un porte-bagage derrière.

– Ah! bon. Il va falloir examiner ailleurs. Mais il faut que je récompense Guimauve. Tu as vu comme il a été sage?

Ce disant, Alexandre sort du four une pointe de pizza dégoulinante de fromage fondu. Une bonne odeur de tomate se répand dans la cuisine. Du balcon parviennent de petits cris de bonheur. Alexandre ouvre la porte et Guimauve entre. On dirait presque qu'il sourit!

   – Tu vois, dit Alexandre à son ami, dès que ça sent la pizza, Guimauve est là!

   – On dirait une réclame de télé, fait Charlo en riant.

Chapitre 5

Charlo est inquiet. Il trouve que l'enquête stagne. Lui, si enthousiaste il y a quelques jours, commence à douter du succès de sa démarche. Assis devant la porte du dépanneur, il attend Alexandre. Mais Alexandre tarde à venir.

Machinalement, il observe les passants. Il essaie de trouver un lien, un fil conducteur entre les événements récents notés dans son carnet. Vol de sa bicyclette, vol chez le dépanneur, vol de bijoux chez Dora. Comment recueillir un indice pour savoir si tous ces vols ont un lien entre eux? Ont-ils été perpétrés par la même personne? Les mêmes personnes? Et que penser des histoires d'espionnage de la toquée aux oiseaux?

Charlo réfléchit, la tête appuyée sur ses poings. «Au fait, songe-t-il, qu'est-ce qu'il s'est fait voler, Jean Mérode?» Charlo essaie de se rappeler l'incident. Mais ni lui ni Alexandre n'ont jamais su ce que le gérant du dépanneur s'était fait voler. Après s'être fait prier de déguerpir, ils ont oublié de revenir chez le dépanneur pour le savoir.

«Je vais régler ça tout de suite», pense Charlo, en se levant d'un bond. Il entre dans l'établissement et trouve Jean Mérode derrière la caisse.

— As-tu envie de rentrer mes journaux, Charlo? propose-t-il en le voyant arriver; on dirait qu'il va pleuvoir.

— O.K., dit Charlo, je vais le faire. Mais dites-moi, monsieur Mérode, l'autre jour, vous vous souvenez, quand vous étiez fâché...

— Moi, fâché? Voyons, tu sais bien que je ne me fâche jamais, pistolet à eau! s'écrie le bonhomme en éclatant de rire.

— Bon, eh bien! en tout cas... poursuit Charlo, je voulais seulement savoir ce qu'on vous avait volé au juste.

— Volé? Ah! oui, cette fois-là? Eh bien! crois-le ou non, il y a des gens qui doivent avoir de drôles d'envies ou bien ils sont morts de faim, l'un des deux! Ha, ha! On m'a volé une grosse caisse de 64 pizzas congelées. As-tu déjà entendu parler d'une pareille affaire?

– Juste ça? demande Charlo. Pas des bijoux ou de l'argent ou encore des... euh... choses précieuses?

– Dis donc, tu fais une enquête policière, on dirait! Bien non, juste une caisse de pizzas. Les bonnes à part ça, celles qui sont garnies d'une double ration de fromage. Les gens sont fous, hein, Charlo?

Sur les entrefaites arrive Cléo Dubé. Cléo Dubé est de bonne humeur parce que ses affaires vont bien. Elle gère le vidéo-club. Son local est voisin et elle vient souvent au dépanneur pour se renseigner sur les derniers potins et siroter une bière d'épinette bien fraîche. Mais en fait, elle ne vient pas seulement pour ça. Le propriétaire, avec sa bonne mine joviale et sa barbe abondante, l'attire comme un aimant. Elle voudrait bien qu'il cesse de la considérer uniquement comme une collègue de travail.

– C'est drôle, dit-elle à Jean Mérode en rougissant légèrement comme à chaque fois qu'elle l'approche, les films que louent les gens! Encore cette dame bizarre qui m'a loué pour la sixième fois *La Guerre des étoiles*. La semaine dernière, c'était *Robotmania*. Je me demande ce qu'elle peut trouver de beau à ces films-là. Moi, j'aime cent fois mieux les films d'amour.

– Chacun ses goûts! dit Jean sans lever les yeux de ses feuilles de commandes.

En fait, Jean Mérode n'ose pas regarder Cléo Dubé en face. Sinon, il sait qu'il va rougir jusqu'à la racine des cheveux. Car malgré ses façons décontractées, c'est un grand timide. Ça fait longtemps qu'il observe Cléo à la dérobée. Son cœur bat très fort quand il la voit entrer. Mais il n'ose pas... il ne sait pas comment s'y prendre pour lui dire... pour lui dire quoi? Pour lui avouer qu'il... qu'il l'aime en secret.

Charlo termine de rentrer les journaux et sort. Il inscrit consciencieusement dans son carnet les détails du vol commis chez le dépanneur puis il recommence à attendre Alexandre.

Deux dames en tenue de jogging, bandeau au front et chaussures de course aux pieds, arrivent en courant. Elles collent une belle affiche sur la vitrine du dépanneur. Charlo s'approche et lit:

Participez
à
la 7e classique de Brossard

Épreuves pour tous les âges

Courses de 20 km, 10 km, 5 km, 1 mille

Catégorie pour les écoliers de 6 à 15 ans
Inscription dimanche à 9 h
devant l'école secondaire

– Ah! fait Charlo, c'est pour ça qu'Alexandre n'est pas venu. Il doit être en train de se préparer pour la course de 5 kilomètres.

Chapitre 6

De bonne heure le matin, les résidents de la rue Maupassant installent leurs chaises de jardin sur leur pelouse au bord de la rue. Leurs voitures sont bien rangées dans les garages ou les entrées. Il faut laisser la rue libre parce que les coureurs s'en viennent.

Une foule de jeunes enthousiastes affluent des rues voisines pour encourager leurs copains. Une camionnette rouge s'obstine à passer et à repasser dans la rue déserte. Tout le monde proteste, mais le chauffeur ne semble pas se soucier des reproches que lui adressent les gens. Les officiels en chemises jaunes qui tracent des repères sur l'asphalte finissent par le forcer à se promener ailleurs.

Charlo a accompagné Alexandre sur la ligne du départ de la course. Le voilà maintenant qui se poste le long de la rue Maupassant pour attendre le passage des coureurs.

– Enfin, les voici! crie quelqu'un.

Tout le monde acclame les athlètes qui arrivent en bande serrée. Ils sont nombreux et courent au même rythme, on dirait. Chacun encourage ses parents, ses amis, en hurlant d'une voix joyeuse:

– Vas-y, Po-Paul!

– T'es capable, Ginette!

– Lâche pas, Fernand!

Charlo, hissé sur le bout des pieds, cherche la tête brune d'Alexandre. Où est-il?

En tête du peloton courent les adultes, même des vieux avec des cheveux gris. Des hommes et des femmes de tous les âges et de toutes les tailles vêtus de toutes les couleurs de l'arc-en-ciel.

Puis viennent les jeunes braves, ceux qui ont assez d'entraînement et de persévérance pour se mesurer aux grands malgré leurs courtes jambes. Charlo a vite fait de repérer Alexandre, les cheveux collés au front et suant à grosses gouttes.

La foule crie:

– Bravo, les jeunes!

Tous les observateurs applaudissent les jeunes qui, s'ils sont un peu en retrait derrière les adultes, n'en sont pas moins en forme ni moins tenaces. Certains sont si agiles et si légers qu'on dirait qu'ils dansent. C'est un merveilleux spectacle que de les voir passer, un ballet aérien surprenant. Leurs admirateurs sont nombreux.

Dans son enthousiasme, Charlo piétine quelques fleurs du parterre des Sinikos.

– Vas-y, vieux! Tu vas gagner! crie-t-il à son ami.

Toute la famille Sinikos est dehors. Deux de ses membres sont dans les rangs des coureurs, alors ils sont trop excités pour se soucier de leurs jolies fleurs. Ils ont installé un poste d'eau sur leur terrain. Ani Sinikos, une fille de cinquième à l'école, donne des gobelets d'eau fraîche à tous les athlètes qui passent assez près d'elle pour les saisir. On s'arrose beaucoup et on s'amuse follement.

Charlo attrape un gobelet des mains d'Ani et le renverse sur la tête d'Alexandre qui passe. Alexandre ferme les yeux en souriant sans s'arrêter de courir. Ensemble, ils font un petit bout de chemin, Charlo emboîtant le pas à Alexandre.

– Tu vas bien, lui dit-il. Ne perds pas ton souffle. Ça fait rien si les autres te dépassent.

Alexandre fait «oui» de la tête tandis qu'il s'ébroue et que l'eau asperge abondamment Charlo. Celui-ci constate, tout à coup, l'absence de l'éternel Guimauve. Il s'étonne:

– Guimauve ne t'a pas suivi?

Entre deux expirations, Alexandre répond:

– Il m'a suivi... un bout... est parti... a dû retourner...

– Je te rejoins à l'arrivée, lance Charlo en le quittant. Lâche pas!

Charlo retourne chez Sinikos et reprend son vélo. Les coureurs sont toujours en piste: il est inutile d'emprunter le parcours pour se rendre au poste d'arrivée. Mais Charlo, qui connaît bien le quartier, enfourche sa bicyclette et coupe par la rue parallèle en direction du boulevard Milan. Une camionnette rouge démarre en trombe devant lui. Il ne peut s'empêcher de penser, en la voyant: «Heureusement que Guimauve n'est pas ici: on l'entendrait japper jusqu'au boulevard Taschereau.»

Lorsqu'il parvient au fil d'arrivée, une foule de gens se préparent à accueillir les premiers coureurs.

– Les voilà! Les voilà! crie-t-on de toutes parts.

Charlo laisse son vieux vélo et se place au premier rang de la foule. Cinq ou six formes approchent de la ligne d'arrivée, mais elles sont encore trop floues pour que Charlo puisse distinguer si Alexandre en fait partie.

– Un p'tit coup de cœur!

– Allez, t'es presque rendu! font des voix.

Soudain, Charlo s'écrie:

– Le short rouge! C'est lui! C'est lui!

Ah! Ils ont une mine bien fripée, les athlètes: les cheveux collés au front par la sueur, les joues en feu, le souffle rapide. Et Alexandre est là, en troisième position. Charlo trépigne et retient son souffle. Il n'ose plus crier maintenant tant il craint de déconcentrer son ami.

Tout à coup, celui-ci a un regain

d'énergie. Sans qu'on s'y attende, à 20 mètres de la fin, il sprinte. Tout se passe très vite. Alexandre franchit le premier la ligne d'arrivée. Il a gagné. Il est le PREMIER!

On applaudit les gagnants et tous les participants qui arrivent derrière en haletant.

Quand ils sont tous rentrés et qu'ils ont repris leur souffle, on procède à la remise des médailles. Alexandre monte sur le podium, exactement comme aux Jeux olympiques. Il resplendit de joie malgré sa fatigue. Charlo est bien fier de son associé.

Chapitre 7

Jean Mérode n'épargne pas ses compliments.

– Bout de fusil! un vrai champion! Tu as fait ça en 22 minutes et combien de secondes?

– En 22 minutes et 38, dit fièrement Alexandre.

– Cincinnati! Tu vas finir aux Olympiques, ma foi!

Les clients du dépanneur s'empressent de se joindre à Jean Mérode pour offrir leurs félicitations au héros du jour. Alexandre nage dans le bonheur. En compagnie de Charlo, il savoure avec délices une orangeade bien fraîche. Plusieurs jeunes l'entourent. Toutes les épreuves ayant pris fin, on échange de nouvelles sur les gagnants et les perdants. La gloire d'Alexandre déteint un peu sur Charlo, qui se prend presque pour son agent ou son impresario. Il prétend même décider à quel prochain championnat Alexandre devra participer.

– Le Maski-courons, ce n'est pas si difficile que ça. Je suis sûr que tu gagnerais! dit-il.

Les conversations sont très animées. On écoute Alexandre avec respect. Ce n'est pas tous les jours qu'un athlète de son âge reçoit une médaille d'or des mains de la Maire en personne. Et quelle médaille! Elle passe de mains en mains, provoquant des sifflements d'admiration.

Alexandre se sent bien entouré. Il raconte les détails de sa course. Puis il remarque Ani Sinikos parmi les flâneurs. Assise sur le trottoir, elle a l'air de s'embêter royalement tout en suçant son *popsicle* d'un air désabusé.

– Hé, Ani! lance-t-il. Qu'est-ce qui se passe? Tu ne regardes pas tes émissions?

Tout le monde à l'école sait qu'Ani est la «spécialiste» de la télévision. On l'appelle Ani la télévore. Elle pourrait gagner tous les concours du plus grand consommateur de télévision. Il ne fait aucun doute que le nom d'Ani figurera un jour dans le livre des records à ce chapitre. Parce qu'elle regarde TOUTES les émissions, sur tous les canaux: la télé communautaire, les films éducatifs, les variétés, les vidéo-clips, TOUT. Elle ne laisse rien passer. Elle sait par cœur toutes les réclames: shampooing, rasoir, bière, papier de toilette, nourriture pour chiens et chats, silencieux, etc. Non seulement elle connaît tous les slogans, mais elle peut fredonner aussi tous les indicatifs d'émissions. Son frère et son père ont couru le marathon. Sa mère participe à de longues randonnées à bicyclette. Mais tout ce qui intéresse Ani, c'est la télé. Rien d'autre. Elle continue à sucer son *popsicle* et répond sur un ton qui ferait pleurer un poteau tant il est empreint de tristesse:

– On s'est fait voler la télé!

– Quoi? s'écrie Charlo que la nouvelle fait sursauter.

Cette seule petite phrase lui remémore d'un seul coup toutes ses activités des derniers jours que l'excitation de l'épreuve de course lui avait fait oublier. Il tâte sa poche et constate que le petit carnet noir des *thám tử* est toujours là.

Alexandre lance un coup d'œil gêné à Charlo, comme s'il se sentait coupable d'avoir, par son exploit sportif, interrompu l'enquête. Reprenant leurs esprits, ils bombardent aussitôt Ani de questions:

– Quand vous a-t-on volés?

– Est-ce qu'on a pris autre chose? Comment ça s'est passé?

Ani se prête de bonne grâce à l'interrogatoire. Elle donne des détails sur l'événement en soupirant.

– Ça va prendre au moins un mois avant qu'on en achète une autre (il s'agit évidemment de la télé). C'est effrayant!

– Mais le vol? reprend Charlo.

– C'était pendant le marathon, continue-t-elle. Toute la famille était dehors pour voir passer les coureurs. Personne n'a rien vu ni rien entendu. Les voisins aussi étaient dehors.

– Alors?

– Maman est rentrée pour faire du café et il n'y avait plus de cafetière. Le four à micro-ondes, la télé, le magnétoscope avaient disparu aussi.

Charlo et Alexandre se regardent sans mot dire. S'écartant des autres, ils se consultent:

– Penses-tu que ce sont les mêmes que le vélo?

– Ça se peut. Comment savoir? Si on allait interroger les Sinikos? propose Alexandre.

– Bonne idée. Demandons à Ani, puisqu'elle n'a plus rien à faire...

– Mais attention, ne lui en dis pas trop.

En quelques mots, Charlo et Alexandre expliquent à Ani pourquoi ils voudraient aller faire un tour chez elle. Contre toute attente, elle sort de sa torpeur. Ses yeux pétillent:

– Une vraie enquête? Comme dans *Drôles de dames*? demande-t-elle, enthousiaste.

– Un peu dans le genre, dit Charlo.

– Si tu veux, tu peux venir regarder tes émissions chez nous, dit Alexandre pour changer de sujet.

Il a déjà oublié la course qu'il vient de gagner. La situation est urgente. Avec Ani sur la barre de la vieille bicyclette de Charlo, tous trois filent vers la rue Maupassant. En chemin, Alexandre a le sentiment vague qu'il lui manque quelque chose. Sa belle médaille se balance pourtant au bout de son ruban rouge. Non, ce n'est pas ça... Tout à coup, il sait. Il crie dans le dos de Charlo qui roule devant lui:

– Hé! Charlo! As-tu vu Guimauve?

Chapitre 8

C'est vrai qu'il est assez rare, dans un récit, de suivre un animal pendant tout un chapitre. Mais pourquoi pas? N'est-il pas vrai qu'un animal, par son comportement, peut parfois nous révéler des choses surprenantes sur les humains? Et ceci est encore plus évident si l'animal en question a des capacités ou des qualités particulières.

Guimauve a des tics idiots, c'est vrai, et des goûts bizarres; mais hommes ou bêtes, les êtres simples ont parfois des talents cachés. Malgré ses apparences banales de chien paresseux, Guimauve a justement une qualité exceptionnelle: il a du flair.

La journée commence bien pour lui. Les volatiles de la voisine le laissent rarement dormir en paix après 5 h du matin, mais ça fait longtemps que Guimauve a modifié ses habitudes en conséquence. Dès le premier piaillement, il bouche ses oreilles avec ses pattes et continue de dormir comme si de rien n'était. Les «ailés» de Dora peuvent continuer leur vacarme, il dort et préserve sa bonne humeur. Belle initiative pour un chien, non? En fait, nous allons voir que Guimauve a non seulement du flair mais aussi une certaine... hum... ingéniosité naturelle. À sa manière à lui, Guimauve a aussi gagné une bataille en ce jour. Une fameuse bataille.

Vers 7 h 30 Alexandre sort. Il porte un short tout neuf et ses chaussures de course sont lacées soigneusement, ce qui est assez inhabituel. Il se met à faire des flexions et à courir sur place devant Guimauve qui vient d'ouvrir les yeux.

Mais tout s'explique quand le garçon s'écrie:

– Guimauve, réveille-toi. Aujourd'hui, on court. Tu vas voir comme tu vas aimer ça.

Comme d'habitude, Guimauve suit

son maître qui semble se diriger vers le dépanneur. Mais Alexandre traverse le boulevard et s'en va devant l'école secondaire. Ah! ça c'est du nouveau pour le chien.

Il y a beaucoup de monde devant l'école. Alexandre reçoit un papier avec un chiffre qu'il s'empresse de fixer à son «ticheurte». Puis on donne le signal du départ. Quand il voit partir Alexandre au milieu d'une troupe d'enfants qui courent, Guimauve suit sans hésiter. Il a bien écouté ce qu'Alexandre lui a dit au sujet des épreuves de course. L'idée d'être le premier chien à gagner une course avec son maître lui a paru plutôt sympathique. Mais au bout de 15 minutes, haletant et soufflant, lorsqu'il comprend que cette promenade au soleil risque de durer longtemps, il décide d'abandonner sur-le-champ. La race canine n'est définitivement pas faite pour la course. De toute façon, Alexandre est déjà loin devant et il a sans doute oublié sa présence.

Guimauve s'éloigne du tracé du marathon indiqué par des lignes bleues sur le macadam. Il longe des rues larges et tranquilles et renifle toutes les odeurs à sa portée. Pneus, pelouse, pare-chocs, bancs de parc, poubelles. Guimauve s'en va à l'aventure. Lui aussi, il peut bien se permettre une petite excursion du dimanche, nom d'un chien!

Guimauve marche, marche, longtemps, longtemps. Les bruits de la rue s'estompent; un petit vent frais s'élève. Guimauve poursuit sa route droit devant lui. Il est content. Il découvre une foule de choses: un ruisseau, de magnifiques terrains vagues, de beaux parcs verdoyants où ça sent bon la terre et les feuilles nouvelles. Enfin, il lève le museau et regarde autour de lui.

Tiens! plus de maisons. Guimauve est arrivé au bout d'une rue neuve. Devant, il n'y a plus que de l'herbe, des fardoches et un chemin de terre plutôt raboteux qui a l'air de mener nulle part. Il en renifle soigneusement les abords et se sent attiré par une odeur, un parfum très faible mais extrêmement intéressant. Il hésite un instant puis se lance sur le chemin d'un pas alerte. Il n'a pas vu une voiture arriver dans son dos à vive allure. Vite, il se jette dans le fossé pour l'éviter. Le passage de la voiture laisse flotter un nuage de poussière qu'il hume avec attention.

«Mal élevé! a envie de crier Guimauve (s'il savait crier). Un peu de respect pour les quatre pattes!»

Une indéfinissable odeur persiste. «Ça sent bon, c'est une chose que j'aime», pense-t-il.

Guimauve continue à marcher droit devant lui. Il escalade une butte couverte d'herbe. Là, il se retrouve devant un surprenant paysage. À gauche, à droite, un drôle de chemin rectiligne formé de deux bandes brillantes et d'échelons de bois. Cette route semble aller très loin, toujours toute droite. Guimauve la rejoint et se met à marcher dessus en l'examinant bien. Bizarre... une route... en fer. Guimauve fait des acrobaties, marchant tantôt sur un rail (eh oui! il se trouve sur le chemin de fer) tantôt sur l'autre. Quand l'odeur intéressante atteint à nouveau son museau, il renifle sérieusement mais n'arrive pas à déterminer ce que c'est vraiment.

Tout à coup, levant le museau, il aperçoit à 200 mètres une vieille maison toute grise, un peu délabrée, pas du tout comme les maisons de la rue Meilleur qu'il connaît bien. «L'odeur doit venir de cette maison», pense-t-il. Aussitôt il quitte le chemin de fer pour descendre la butte et filer à travers les fardoches et les buissons. Il se dirige vers la vieille maison. «Tiens! une camionnette rouge stationnée derrière», observe-t-il. Mais ce n'est pas le temps d'aboyer quand on est en promenade secrète. Guimauve fait sagement le tour de la maison. L'odeur dépistée se fait de plus en plus précise.

«Que ça sent bon! pense-t-il. Je suis sûr d'aimer ça. Ah! j'ai trouvé! Ça sent la pizza...». C'est alors qu'il découvre une grosse boîte de déchets contenant de vieilles croûtes de pizza plutôt racornies. Mais quand on a faim et qu'on vient de clopiner un long moment, ce n'est pas de refus. Au moment où Guimauve va pour attraper un morceau dans la caisse, surgit un animal étrange qui fait mine de le chasser. «Oh! la, la! Abandonner un pareil régal? Moi? Jamais.» pense

Guimauve. Il ne bouge donc pas d'un centimètre.

Mais la bête (c'est un raton laveur qui règne en maître incontesté dans les parages) maintient ses positions. Il s'ensuit une bataille qui va durer plusieurs heures entre Guimauve, qui a flairé le formidable repas, et le raton, qui ne cède pas facilement son propre territoire. La fierté de Guimauve est en jeu et son repas aussi!

Coups de patte, coups de griffe, chacun se défend vaillamment. Guimauve réussit, entre deux assauts, à s'accaparer plusieurs morceaux substantiels, mais les grognements du raton et ses jappements finissent par attirer l'attention des occupants de la maison. La porte s'ouvre avec fracas et un gros joufflu à moustaches encadre sa corpulence dans la porte en lâchant dans la nuit un formidable rot. Car la bataille a duré si longtemps que la nuit est arrivée. Une forte odeur de pizza vient de la porte ouverte. Le gros homme lance d'une voix courroucée:

– Sacre ton camp, chien stupide. Tu déranges.

Évidemment, le raton s'est éclipsé et

il ne reste que Guimauve pour encaisser les injures. Mais l'odeur de pizza chaude est irrésistible et l'absence du rival donne l'avantage à Guimauve. Sans hésiter, il s'élance dans les pattes de l'homme et fonce dans la maison sur la piste de la pizza ENTIÈRE et CHAUDE! Avant que le gros ait pu réagir, Guimauve fait le tour d'une espèce de cuisine aménagée de façon rudimentaire. L'homme le rejoint, se fâche et hurle:

– Sacre ton camp dehors, chien de malheur. Mon film est commencé!

Avant de s'enfuir devant le coup de pied menaçant, Guimauve a le temps d'observer que la télé est allumée et que l'assiette de pizza est vide. Par une porte entrouverte, il aperçoit un homme maigre qui serre dans ses bras une femme aux cheveux blonds en désordre vêtue d'une robe rose à pois verts. Mais une autre odeur l'assaille tout à coup. Il flaire quelque chose dans le coin de la pièce tandis que l'homme tente de lui botter le derrière. Guimauve a reconnu tout de suite l'odeur d'Alexandre! D'un coup brusque des mâchoires, il saisit dans sa gueule le gant de base-ball qui traîne par terre. (Je vous l'ai dit que ce chien a du flair.)

Furieux, le gros homme referme durement la porte derrière Guimauve en lançant d'énormes jurons impossibles à retranscrire. Guimauve court sur le chemin raboteux en mordant solidement le gant. Un vieux bout de tissu rose à pois verts qui y est attaché suit dans la poussière. Guimauve ne pense même plus au raton. Mais, en regardant la lune qui brille sur la banlieue endormie, il se demande si Alexandre a réussi à finir le marathon.

Chapitre 9

Il y a deux grandes nouvelles aujourd'hui. La première, c'est qu'Alexandre a retrouvé son chien. Guimauve est rentré pendant la nuit. Il s'est couché dans sa niche sans faire de bruit.

Au matin, tout fringant, bien réveillé, il gambade autour d'Alexandre qui part pour l'école, sa médaille au cou. Mais Guimauve cherche par tous les moyens à attirer son attention. Alexandre se penche vers lui et le caresse affectueusement.

– Te voilà, toi. Tu t'es payé une petite virée, hier, hein? Où es-tu allé? demande Alexandre.

Guimauve répond par petits cris; il agite sa queue et agrippe le pantalon d'Alexandre avec ses dents. Il tire, tire tant qu'il peut. Il entraîne son maître vers sa niche.

– Mais, mon vieux, il faut que j'aille à l'école, moi! Où donc veux-tu me mener? fait Alexandre, un peu surpris.

Guimauve continue à se trémousser. Ah! s'il pouvait parler. Finalement, Alexandre le suit de bonne grâce. Guimauve se glisse dans sa niche et en ressort, portant fièrement dans sa gueule... le gant de base-ball enroulé dans le bout de tissu. Et ça, c'est la deuxième nouvelle du matin.

– C'est pas vrai! s'écrie Alexandre, interloqué. Où as-tu trouvé mon gant?

En guise de réponse, Guimauve jappe joyeusement. Il pousse des petits cris qui veulent dire: «Si tu savais l'aventure que j'ai vécue; viens vite que je te conduise...»

Alexandre réfléchit quelques instants puis dit:

– Repose-toi encore. On se retrouve après l'école. Tu es vraiment un chien épatant, Guimauve. Mais ce bout de tissu enroulé... curieux...

Alexandre examine le chiffon puis en déchire un petit morceau qu'il fourre dans sa poche. Il replace son gant dans la niche et dit à son chien:

– Attends-moi; je viens te chercher cet après-midi, c'est promis. Mais ne t'en va pas encore courailler!

Aussitôt l'école terminée, Charlo et Alexandre se précipitent au dépanneur. Le bout de tissu se promène de main en main, puis Charlo le colle soigneusement dans son carnet noir. Indice majeur. Charlo est fébrile. Il se voit déjà grimpé sur sa belle bicyclette grise récupérée.

Alexandre lui a raconté le retour de Guimauve et la promesse qu'il lui a faite. Enfin persuadés d'être sur une piste sérieuse, les *thám tu* abordent en premier Jean Mérode. Lui qui voit tant de monde passer dans son commerce, il reconnaîtra peut-être le bout de tissu.

– Ça vous dit quelque chose ce tissu-là? demande Charlo à Jean Mérode, qui se tient derrière la caisse.

– Bougrine de bougrine, on dirait des pastilles Valda sur de la crème glacée à la fraise!

– C'est sérieux. C'est un indice pour notre enquête, fait Charlo.

– En ce moment, dit Jean, je n'ai pas le temps de réfléchir trop, trop. Mais je vais y penser.

Charlo et Alexandre font le tour du quartier et posent la même question à tous les commerçants. À la boulangerie, chez le nettoyeur, chez le coiffeur, le tissu rose à pois verts ne rappelle rien à personne. Cléo Dubé du vidéo-club, elle, a quelque chose à dire.

– Ça me rappelle quelque chose, cette couleur-là. J'ai déjà vu ce tissu. Mais où? Pourquoi voulez-vous savoir ça au juste? demande Cléo.

– On fait une enquête... euh... policière, répond Charlo.

– Vous pensez trouver des voleurs avec ça? C'est plutôt mince comme indice, dit Cléo en jouant avec le bout de tissu. Mais, non, je ne me souviens plus.

– En tout cas, fait Alexandre, si vous voyez une personne ou une chose avec ce tissu-là, dites-vous bien que les voleurs ne sont pas loin, dit Charlo.

– Comment ça?

– On est sur une piste très sérieuse, dit Charlo.

– Vous me faites bien rire avec vos enquêtes policières, dit Cléo. Vous feriez mieux de vous en remettre à la police.

– La police, la police! Ils ont dit et répété qu'ils ne retrouvaient jamais les bicyclettes, dit Charlo avec une moue de dépit.

Cléo devient pensive tout à coup.

– Je me demande, fait-elle, si ça n'était pas la couleur de la robe de la dame...

– Quelle dame? demande aussitôt Alexandre.

– Celle qui vient toujours louer des films de science-fiction. Elle est vraiment bizarre, toujours habillée comme... ah! c'est ça, c'est elle, je m'en souviens maintenant. Elle porte toujours la même robe. Rose à pois verts.

– Savez-vous où elle habite?'demande Charlo.

– Attends un peu, je vais regarder. Tiens, c'est ici. Madame Beauregard, avenue Brouilly .

– Avenue Brouilly? Jamais entendu parler de ce nom-là par ici! dit Alexandre.

– Moi non plus. Je vais vérifier sur la carte, fait Cléo.

Aidée d'Alexandre et de Charlo, Cléo constate qu'il n'y a pas d'avenue Brouilly à Brossard.

– C'est curieux, cette affaire-là, poursuit-elle. Vous n'avez qu'à surveiller. Quand elle reviendra reporter sa vidéocassette, vous verrez bien si ça correspond à votre fameux indice! ha, ha... elle est bien bonne celle-là! Avenue Brouilly... je vais lui demander des précisions, ne craignez rien!

Les *thám tư* sont encouragés par cette révélation, mais ils n'oublient pas pour autant leur rendez-vous avec Guimauve. Ils quittent le dépanneur et s'en vont retrouver le chien. La voisine est dans son jardin en train de nourrir ses pensionnaires. Des oiseaux de toutes tailles s'agitent en auréole autour d'elle. Elle leur parle, elle les gronde comme s'ils étaient des enfants. En l'observant, Charlo a une idée:

– Si on allait lui montrer le tissu, propose-t-il à son coéquipier.

– C'est vrai; elle aussi pourrait savoir.

– Oh! Dora, Dora des Ailés, crie Alexandre en s'efforçant de cacher son sourire. On a quelque chose à vous montrer.

– Venez, venez, fait Dora en agitant ses bras dans le vide pour éloigner les oiseaux.

Les enfants se précipitent dans le jardin tout proche et lui font voir le bout de tissu.

– Ce n'est pas du tout dans mes couleurs! Moi, c'est le bleu, voyez-vous. Ça va avec la couleur de mes yeux, dit Dora.

– Mais ce n'est pas pour vous, dit Charlo, un peu exaspéré. On veut juste savoir si vous avez déjà vu ce tissu-là sur quelqu'un ou...

– Jamais! Jamais! Je l'aurais remarqué, c'est tellement laid. Ah! votre chien fait peur à mes petits.

Dora tente de chasser Guimauve qui manifeste son impatience en poursuivant les oiseaux.

– Bon, on n'a plus de temps à perdre, dit Alexandre. Merci quand même Mad... euh... Dora des Ailés. On te suit, Guimauve, vas-y.

Les deux amis enfourchent leur bicyclette et roulent derrière Guimauve qui trotte à vive allure, le museau haut, fier de pouvoir enfin démontrer à ses amis ses talents de fin limier.

Chapitre 10

Alexandre, Charlo et Guimauve traversent plusieurs rues, empruntent des ruelles et des cours pour se retrouver sur le chemin de terre que le chien connaît déjà. Très sûr de lui, Guimauve les guide sans hésiter. De temps en temps, il se retourne pour voir si les garçons ne se sont pas égarés.

Bientôt les trois arrivent en vue de la voie ferrée et aperçoivent la vieille maison grise. Les deux garçons cachent leurs vélos dans les hautes herbes du fossé et s'approchent à pas de loup. Tout a l'air tranquille; la maison semble inhabitée.

Guimauve conduit ses amis vers l'arrière de la maison où se trouve la boîte si merveilleuse qu'il a découverte la veille. Mais la boîte à moitié éventrée semble avoir été complètement vidée de son contenu (le raton laveur, sans doute). Quelques lambeaux de tissu rose à pois verts jonchent le sol, mais il ne reste pas un seul petit croûton de pizza, au grand désespoir de Guimauve qui s'imagine que Charlo et Alexandre recherchent avant toute chose, comme lui, ces précieux morceaux. Pourtant, ils n'ont pas l'air déçus, au contraire!

– Hé! Alexandre, murmure Charlo. T'as vu, sur la boîte?

– Quoi ?

– C'est écrit: PIZZAS SURGELÉES, double ration de fromage, poursuit Charlo.

– Aïe! Les pizzas volées au dépanneur? demande tout bas Alexandre.

– Ça se peut. Et le tissu à pois, voyons si c'est le même.

Charlo sort son carnet en vitesse et compare son morceau avec les lambeaux qui sont éparpillés par terre.

– Pareil, exactement! fait-il, réjoui. Ça doit être ici que Guimauve a trouvé ton gant.

Excités par leur découverte, les

thám tư se mettent à inspecter les alentours de la vieille maison. Mais Guimauve a beau mettre toutes ses facultés en éveil, il ne retrouve plus sa bonne odeur de pizza.

Le terrain étant manifestement à l'abandon, les fouineurs doivent se frayer un chemin à travers les mauvaises herbes. Ils sont continuellement sur leurs gardes, mais aucun bruit ne perce le silence.

Petit à petit, ils s'enhardissent. Charlo se hisse jusqu'à l'une des fenêtres du rez-de-chaussée. Il décrit ce qu'il voit à Charlo, qui fait le guet en bas.

– C'est pas mal en désordre, dit-il. Un vieux fauteuil éventré, puis... hé! Il y a un four à micro-ondes!

– À mon tour, fait Alexandre. Laisse-moi grimper.

Charlo continue son observation et chuchote:

– Il y a aussi une télé et un magnétoscope. C'est peut-être ceux des Sinikos. Il doit y avoir des gens qui vivent ici. Viens, on va regarder de l'autre côté de la maison. Je parie qu'on va trouver mon vélo! You-ou....

Les deux gamins longent le mur de

bois à la peinture écaillée et se juchent sur un vieux tonneau. Ensemble, ils élèvent lentement leurs deux paires d'yeux jusqu'à la fenêtre et jettent un rapide coup d'œil à l'intérieur, prêts à décamper au moindre signe de vie. Soudain, leurs visages deviennent livides et ils se laissent tomber dans les orties. Ils se regardent, les yeux ronds, la bouche ouverte sans pouvoir articuler une seule parole. Enfin Charlo balbutie:

– La dame... avec la robe à pois... pendue!

– Si on se fait prendre ici..., bégaie Alexandre en tremblant.

D'un même geste ils se lèvent et courent vers leurs vélos laissés dans l'herbe, mais à ce moment précis, le bruit ronflant d'un moteur arrive jusqu'à leurs oreilles. Dans le chemin, on voit venir une voiture qui soulève un nuage de poussière. Guimauve retrouve comme par hasard ses mauvaises habitudes: il se met à aboyer furieusement. Car comble de chance, c'est une camionnette rouge qui s'avance vers la maison.

Blancs comme un linge, les *thám tư*

figent sur place. Une peur bleue les empêche d'élaborer la moindre pensée cohérente.

Chapitre 11

Chez le dépanneur, un client s'approche de la caisse et dit à Jean Mérode:

– Il n'y a plus de pizzas dans le congélateur.

– Une seconde, je vais vous en chercher. J'en ai une caisse derrière.

Quelques minutes s'écoulent. Jean Mérode revient, rouge de colère.

– Ah! les ouistitis! Bougrine de bougrine de bout de fusil graissé! Avez-vous déjà vu ça, vous, se faire voler des caisses de pizzas? De la folie furieuse. Deux fois de suite, en plus de ça!

– Comme ça, dit le client, vous n'en avez pas de la pizza?

– NON! hurle Jean Mérode, exaspéré. Je n'en ai plus une seule petite pointe, pointue, tordue, biscornue!

Au moment où il prononce ces mots, une voiture de police freine et s'arrête devant la porte.

– Ah! on peut dire que vous arrivez à point, vous, fait Jean Mérode au policier qui entre. Je viens de me faire ENCORE voler une caisse de pizzas comme la semaine dernière. C'est bête en s'il vous plaît!

– Voler? Vous êtes sûr? demande le policier d'un air narquois.

– Faut pas rire, dit Jean Mérode. Des voleurs affamés, sans doute. Je suppose que vous allez me dire que c'est impossible à dépister des voleurs de pizzas ?

– Non, je ne dirais pas ça, dit le policier. J'étais venu vous avertir qu'on recherche une camionnette rouge, Nissan 1979, avec un rideau rose à pois verts dans la fenêtre arrière.

Jean Mérode n'en croit pas ses oreilles.

– Rose à pois verts? bégaie-t-il.

– C'est en rapport avec les nombreux vols commis dans le quartier, continue le policier. Ça a peut-être à voir avec vos pizzas. En tout cas, si vous voyez une camionnette rouge, avertissez tout de suite le poste numéro 4. On compte sur vous.

Le policier sort et Jean Mérode se gratte la tête. Il songe en soupirant au bout de tissu que lui ont montré les deux garçons. Puis, Ani, la télévore désœuvrée, vient faire un petit tour. Elle s'embête royalement depuis qu'elle ne peut plus regarder la télé. Elle s'achète un *popsicle* à la banane et feuillette des revues en espérant rencontrer quelqu'un qui puisse combler son ennui.

La porte s'ouvre et Dora de Blettec fait son apparition. Elle demande à Jean:

– Vous n'avez pas vu les deux... euh..., Alexandre et Charlo?

– Ils sont partis il y a environ une demi-heure, répond Jean.

Ani lève le nez de ses revues et regarde Dora qui continue:

– Si vous les voyez, vous leur direz que je SAIS... pour le tissu.

– Ah! bon, fait Jean Mérode, intéressé. Pas un tissu rose à pois verts, par hasard?

– Oui, justement, répond Dora. Vous êtes au courant, vous aussi?

Jean Mérode ne sait trop comment il se fait que la découverte des *thám tử* recoupe l'information apportée par le policier. Seraient-ils sur le même coup?

– Vous pouvez me confier le message, si c'est urgent; je vais sûrement les revoir avant ce soir. Ils viennent toujours ici, dit le proprio.

– Monsieur! fait Dora indignée. C'est trop important pour être transmis par personne interposée! C'est une révélation du plus haut intérêt! Je la livrerai en personne, à qui de droit.

– Bon! fait Jean, je n'ai rien dit. Mais vous savez..., commence-t-il le plus poliment du monde.

Jean Mérode raconte à madame de Blettec la visite du policier. À l'abri de son magazine ouvert, Ani suit la conversation. Dora écoute attentivement ce que Jean lui dit. En guise de réponse elle annonce:

– Moi, je fais plus confiance aux enfants qu'aux policiers.

Sur ces entrefaites, Cléo Dubé arrive pour sa pause café. Jean lui demande:

– Êtes-vous au courant que la police recherche une camionnette rouge?

Cléo déclare:

– Moi, je pense que tout ça ne sert à rien. La police avec ses autos parées comme des sapins de Noël, des enfants avec un morceau de tissu, ça rime à quoi? Ce n'est pas avec ces méthodes qu'on démasque les voleurs, voyons! Tout ce que je sais à propos de ce fameux tissu, c'est qu'une dame mal habillée, en robe rose à pois verts – pas à la mode du tout, du tout – vient louer des vidéos toutes les deux semaines. Je ne sais pas d'où elle vient parce que je viens de me rendre compte qu'elle m'a donné une fausse adresse. Des films idiots, à part ça. Enfin, que voulez-vous, c'est ça le commerce! Mais cela n'a aucun rapport avec les vols ou la camionnette rouge, j'en suis absolument certaine!

Jean Mérode songe qu'il devrait peut-être essayer de la convaincre qu'elle a tort et du même coup lui parler d'autre chose..., de choses plus sympathiques que les vols...

Soudain, Ani s'approche d'eux, les yeux ronds, tout en continuant de sucer son *popsicle* à la banane.

– Je me souviens maintenant, dit-elle à mi-voix, le jour du marathon... il y avait une vieille camionnette rouge dans la rue Messier derrière chez nous. C'est le jour où on s'est fait voler!

Un silence inhabituel règne chez le dépanneur. On dirait que les quatre personnes présentes font tourner sans bruit dans leurs têtes les petits moteurs à penser. Dora fouille dans le présentoir de revues. Elle trouve un numéro de *Québec Science* contenant un article sur le merle bleu. Elle paye la revue et salue Jean Mérode en lui confiant tout bas:

– Le tissu rose à pois verts, je viens de le voir à la fenêtre arrière d'une camionnette stationnée au centre commercial. Devant la quincaillerie *La Cité de l'outil*. C'était ça mon message pour Alexandre et Charlo. Mais puisque vous, vous faites confiance à ces jeunes, eh bien! vous le leur transmettrez.

Ces quelques mots prononcés nonchalamment font l'effet d'une bombe. Jean Mérode a pris sa décision en une fraction de seconde. Il ferme boutique. Ça ne lui est pas arrivé en 15 ans mais tant pis, ce jeu de détective est trop excitant! Et puis, l'occasion est trop bonne pour la laisser filer: mine de rien, tout en s'occupant sérieusement des voleurs, il va tout faire pour essayer de déclarer son amour à Cléo.

En trois phrases brèves, il lui explique son plan. Cléo, qui ne croit toujours pas au sérieux de l'enquête menée par les *thám tư*, accueille favorablement l'occasion de rallonger sa pause et surtout de faire un tour de voiture avec celui qu'elle adore secrètement depuis longtemps. Sans hésiter un seul instant, elle ferme le vidéo-club à son tour.

– Et la police? fait Ani.

– Il faut voir d'abord si la camionnette est toujours au centre commercial, répond Jean rapidement.

Avec Jean et Cléo, Ani s'engouffre dans l'automobile de Jean qui disparaît dans le flot de voitures sur le boulevard Taschereau. Dora de Blettec s'en retourne tranquillement chez elle à pied, ne se doutant pas le moins du monde du grand branle-bas qu'elle vient de déclencher.

Chapitre 12

La camionnette rouge va droit sur Alexandre et Charlo. Elle s'arrête à trois pas de la maison. Guimauve n'arrête pas de japper. La situation est désespérée pour les deux garçons blêmes. La portière s'ouvre et un gros homme à moustache, dont l'allure semble vaguement familière à Charlo, met un pied à terre.

– Tiens! on a de la visite, dit-il d'un ton pas très rassurant.

Son compagnon, un homme plutôt maigre portant une casquette verte, descend à son tour et ouvre les portes arrière de la camionnette dont les rideaux roses à pois verts tremblotent sous la secousse.

– C'est le chien d'hier, fait le maigre.

Un fatigant!

– Mais il est accompagné; regarde les deux ti-gars, fait le gros en pointant le doigt vers Charlo et Alexandre immobiles, le dos collé au mur.

– Qu'est-ce que vous faites ici? C'est pas une place pour rôder. Il n'y a rien à voir ici, rien que de la pizza! s'écrie-t-il en sortant une caisse de pizzas congelées et une caisse de bière.

Charlo et Alexandre, voyant leurs soupçons confirmés, n'osent même pas se regarder. Les deux hommes éclatent de rire en voyant leurs mines apeurées.

– D'la pizza, c'est tout ce qu'on a. Ha, ha, ha!

– Allez donc jouer sur la voie ferrée, dit le maigre, qui n'est pas du genre rigolo.

Guimauve cesse de japper en retrouvant en un éclair cette odeur tant aimée. Aussitôt il se précipite dans les jambes du gros qui manque de laisser échapper sa charge. Furieux, il se met à lancer des coups de pieds. Charlo et Alexandre reprennent vie et amorcent le geste de se sauver tandis que Guimauve tournoie autour de la caisse de pizzas. Mais un bruit continu tout proche envahit l'espace et recouvre les grognements du chien. Sur la voie ferrée, un train approche à grande vitesse. Les *thám tư* frissonnent en pensant au conseil que le maigre vient de leur donner. Mais ils ont d'autres chats à fouetter! Le gros regarde sa montre et parle à son compagnon qui vient de sortir une quantité de petits paquets de la camionnette. Ils échangent quelques paroles mais les garçons n'en saisissent rien à cause du bruit que le train, déjà loin, laisse dans son sillage. Quand celui-ci disparaît tout à fait, la voix du gros homme qui vient d'ouvrir la porte de la maison leur parvient distinctement cette fois:

– Aïe! les ti-gars! Sacrez vot' camp avec vot' chien!

– Allez! Décollez! renchérit le maigre d'un ton menaçant. On vous a assez vus pour aujourd'hui.

Les *thám tử* ne se le font pas dire deux fois. Comme mus par un ressort, ils décollent leur dos du mur et foncent vers le chemin. Ils traversent le terrain vague en courant et en enjambant les broussailles. Guimauve, jappant toujours, les suit de mauvaise grâce.

Ils n'ont pas atteint le fossé et leurs montures que, à leur énorme surprise, ils se retrouvent nez à nez avec Jean Mérode, Cléo Dubé et Ani! Ils s'aperçoivent tout à coup que la vieille maison est encerclée par des voitures de police.

– Comment...? commence Alexandre.

Mais les événements se précipitent. Les policiers prennent les choses en main. Certains inspectent les alentours et d'autres pénètrent dans la maison.

Bafouillant d'émotion, Charlo essaie d'expliquer à Jean leur découverte du cadavre aperçu par la fenêtre. Mais Jean ne cesse de répéter:

– C'est grâce à vous! Grâce à vous deux!

Même Cléo manifeste son admiration, à leur grande surprise:

– Juste un vieux bout de tissu. Quand on pense! dit-elle.

Charlo et Alexandre ne comprennent pas très bien ce qui arrive, mais ils sont tellement soulagés d'avoir pu échapper aux assassins grâce à la venue de leurs amis et des policiers qu'ils en oublient leur frayeur. Tout en restant bien près de Jean et de Cléo, les *thám tư* ne relâchent pas pour autant leur observation. Ils voient bientôt les policiers sortir de la maison en poussant devant eux les deux hommes qu'on oblige à prendre place dans l'une des voitures. Celle-ci s'éloigne et Jean Mérode se décide à aller demander des explications aux policiers qui surveillent encore la maison. Un policier remarque les trois jeunes qui circulent avec beaucoup d'hésitation.

– Ce n'est pas une place pour vous, ici. Rentrez donc chez vous, leur dit-il.

Jean Mérode intervient:

– Bout de fusil! Ils étaient ici avant tout le monde, ces deux-là. Ce sont eux qui nous ont mis sur la piste et elle aussi, d'ailleurs, fait Jean en désignant Ani.

– Ah! dit le policier d'un air surpris.

– Je pense, continue Jean Mérode, qu'ils savent beaucoup plus de choses que nous sur cette affaire et même que vous!

– Des vrais détectives! ajoute Cléo Dubé, pleine d'une admiration nouvelle.

La deuxième voiture de police s'éloigne avec Charlo, Alexandre et Guimauve à son bord. Jean et Cléo ramènent Ani et les vélos. Mais avant que la voiture ne quitte les lieux, Charlo se hâte de demander au policier:

– Vous n'avez pas vu une bicyclette de course à l'intérieur? Une Peugeot sport gris-bleu?

– On a trouvé bien des choses, répond le policier en riant, mais pas de bicyclette!

Et puis le policier, observant plus attentivement la mine très déçue de Charlo, s'écrie:

– Ah! mais je te reconnais. C'est toi qui t'es fait voler ta bicyclette dans la cour de l'école?

– Oui, c'est moi, dit-il d'une voix neutre.

Dans la voiture, Charlo garde le silence. Il est partagé entre la joie de circuler dans la voiture bleue et blanche des policiers et cette déception tenace à la pensée que leur enquête n'a pas permis de retrouver la fameuse bicyclette, le seul véritable enjeu pour lui. Il repasse dans sa tête les événements qui viennent de se dérouler et, hésitant, il demande enfin :

– Le… euh… cadavre de la dame, vous l'avez vu? Est-ce qu'elle est morte?

Le policier le rassure.

– On va essayer de débrouiller tout ça, avec votre aide, dit-il, tandis que la voiture s'engage dans le chemin raboteux laissant derrière, sous bonne surveillance, la vieille maison qui contient tant de secrets.

Charlo et Alexandre sont fatigués; la journée leur a apporté pas mal d'émotions. Ils ont hâte d'arriver au poste de police et de pouvoir raconter toutes les étapes de leur enquête. Chacun a le même geste: ils tâtent leur poche. Oui, le petit carnet noir des *thám tư* est bien là. Ils vont pouvoir s'en servir dans quelques minutes.

En cours de route vers le dépanneur, Jean Mérode sourit à Cléo Dubé.

– Vous voyez bien que les enfants... il faut toujours les écouter. Ils sont souvent plus avisés que les grandes personnes car ils sont curieux et observateurs.

Cléo, toute chamboulée par les doux regards qu'il lui lance, se range bien vite à son avis. Et elle manque de perdre le souffle quand il lui propose d'une voix hésitante:

– Qu'est-ce que vous diriez si... euh... on prenait congé tous les deux? Je t'invite au restaurant.

Jean n'en dit pas plus, à cause de la présence d'Ani. Mais Cléo ne se fait pas prier pour accepter en rougissant.

Tous les deux affichent, dans la vitrine de leurs commerces, une pancarte indiquant: **Fermé pour rénovations** et s'en vont en riant de ce petit mensonge. Qui n'en est pas un à vrai dire. C'est tout au plus une faute d'orthographe. Il faudrait lire: **Fermé pour innovation.** Car c'est une innovation, en effet, d'entendre Jean Mérode, emporté par sa flamme, se mettre à tutoyer Cléo Dubé, chose qu'il n'avait jamais osé faire auparavant. Ah! l'affaire est sur une bonne voie...

Épilogue

Plusieurs semaines plus tard.

Cela faisait un bon moment que la police recherchait les voleurs qui sévissaient dans Brossard. Et c'est grâce à la poursuite déclenchée par l'enquête des *thám tử* qu'elle réussit à récupérer une partie des larcins. Charlo et Alexandre n'étaient pas peu fiers d'avoir contribué à ce résultat.

En effet, on trouva sans peine dans la maison près de la voie ferrée, qui servait de repère, les appareils de la famille Sinikos et, comme vous l'avez sûrement déjà compris, la caisse encore intacte de pizzas congelées en provenance du dépanneur. Mais ni la bicyclette de Charlo, ni les bijoux, ni les clefs de Dora de Blettec ne furent retrouvés. Malgré son sentiment de victoire, Charlo ne pouvait s'empêcher de se sentir frustré par l'injustice des événements. Il pensait souvent que la vie était bien mal faite. Les voleurs avaient pourtant été arrêtés, pourquoi son vélo restait-il introuvable?

Plusieurs fois par semaine, Charlo allait interroger ses amis du poste de police. Après plusieurs visites, il trouva réponse à ses incessantes questions.

Les voleurs, deux frères prénommés Dingo et Mingo, faisaient partie d'un réseau de voleurs très bien organisé. Les résultats de leurs multiples vols – surtout des bicyclettes et des motos – étaient expédiés chaque semaine vers les États-Unis sur un train de marchandises qui s'arrêtait régulièrement aux abords de la vieille maison de bois. Ainsi, les objets volés étaient vendus hors des frontières et il était à peu près impossible de les retracer.

Ce qui trahit finalement les deux frères et contribua à l'arrestation des autres membres du réseau, ce fut la gourmandise du frère aîné – le gros moustachu – dont l'appétit pour les pizzas bien garnies n'était jamais satisfait.

Quant au frère plus jeune, le maigre Mingo, sa marotte à lui, ce n'était pas la nourriture mais l'électronique. Passionné par les robots, il ne cessait d'en confectionner de toutes sortes. Sa dernière invention était un robot à forme humaine qu'il avait programmé pour accomplir deux tâches: couper les cadenas des bicyclettes et commander des vidéo-cassettes au vidéo-club. Habile bricoleur, il avait cousu pour son robot, qui était en fait une robote, une robe sans style en coton rose à pois verts. Et avec les chutes de tissu, eh bien! il avait confectionné un petit rideau pour empêcher les curieux de voir le contenu de la camionnette. Voilà pourquoi on ne fit pas grand cas de la mort de madame Beauregard dans les journaux pourtant friands de nouvelles de ce genre. La dame n'en était tout simplement pas une! Passée leur première surprise, Charlo et Alexandre rirent beaucoup de cette nouvelle en se remémorant la terrible peur qu'ils avaient eue en apercevant le «cadavre» par la fenêtre. La pendue n'était, en fait, qu'un tas de chiffons avec une série de circuits transistorisés cachés à l'intérieur.

Dans toute la ville de Brossard, Charlo, Alexandre et Guimauve sont devenus célèbres. La nouvelle concernant leurs talents de dépisteurs n'a pas pris de temps à circuler grâce à Jean Mérode. Il ne tarit pas d'éloges à leur endroit et recommence à raconter toute l'aventure à chaque client qui entre dans son établissement.

Même Cléo Dubé, si sceptique au début, reconnaît que, grâce à leur sens de l'observation peu commun, ce sont les gamins qui ont conduit les policiers vers le dénouement de l'affaire. Cette conviction nouvelle découle évidemment de l'attitude de Jean Mérode, dont elle partage presque toutes les opinions, car leur amour s'étale désormais au grand jour.

L'école terminée, Alexandre s'est mis à jouer au base-ball et à recommencer son entraînement de coureur de longue distance. Ani a retrouvé avec joie ses émissions préférées à la télé. Le sourire aux lèvres, elle salue ses amis par: «Allô, allô! J'fais mon métro!» ou accueille sa mère qui rentre du travail par: «Ah! vous dirais-je, maman, les céréales plaisent aux enfants!»

Quant à Charlo, il traîne un peu au dépanneur ou bien il se rend à la bibliothèque pour se plonger dans des encyclopédies sur la vie animale, sa nouvelle passion. Il y découvre une foule de choses formidables sur les chiens. Aussi, il s'est mis en tête de dresser Guimauve pour en faire un vrai dépisteur de bandits. Mais ça ne va pas sans peine.

Entre temps, il lit des tas d'informations sur les crocodiles, les baleines et même sur les oiseaux, ce qui l'amène à fréquenter de façon régulière l'étonnante voisine de son ami Alexandre.

Un beau jour, il voit passer au-dessus de sa tête un drôle d'oiseau noir. Il le suit jusque chez Dora, où il est accueilli à bras ouverts.

– Oh! mon petit Charlo, j'ai acheté un nichoir épatant. Si tu voulais bien me l'installer.

Charlo grimpe dans l'échelle et en deux temps trois mouvements il fixe le nichoir à son poteau. Tandis qu'il est grimpé là-haut, il se met à fureter parmi les branches des arbres. Il trouve plusieurs nids et des nichoirs remplis de cris et de battement d'ailes. Il s'amuse à observer l'agitation des parents affolés par sa présence.

Il croit reconnaître soudain l'oiseau noir qu'il avait suivi et qui se sauve avec grand fracas. Charlo grimpe un peu plus haut sur l'échelle et regarde dans le nid que l'oiseau vient de quitter. Y a-t-il des œufs? Non, ce ne sont pas des œufs mais quelque chose qui brille. Charlo est bien étonné. Il tâtonne dans les brindilles et saisit un objet dur. Il redescend bien vite de l'échelle. Mais avant de parler de sa surprise à Dora des Ailés, Charlo regarde comme il faut ce qu'il tient entre ses doigts. C'est une broche dorée qui a la forme d'un oiseau!

– Dora, Dora des Ailés, crie-t-il. Venez voir!

– Ma mésange huppée! s'écrie Dora.

Et c'est ainsi que Charlo, remontant de nouveau dans l'arbre, retrouve dans le nid de la pie: les clefs de Dora, trois vieilles vis de cuivre, les deux chaînes en or et des bouts de fil de fer tordus.

Dans le jardin peuplé d'oiseaux, les

humains sont au comble de l'exaltation.

– Ma mésange! ma mésange! ne cesse de répéter Dora.

Charlo se souvient de plusieurs cas rapportés dans les ouvrages qu'il a consultés à la bibliothèque. Les pies sont d'épouvantables voleuses! Elles adorent tout ce qui brille et ne peuvent résister à la tentation d'emporter dans leur nid ce qu'elles voient luire.

Ce n'est pas long que tout le quartier est alerté. Mais malgré la liesse générale, Charlo regrette un petit peu que les pies voleuses ne pensent pas à cacher dans leurs nids... des bicyclettes 10 vitesses!

On peut dire que ce nouvel épisode de l'affaire des voleurs consacre la renommée des *thám tư*. Le corps de police de la ville, de concert avec le bureau de la Maire et le Service des loisirs, a offert à Charlo une magnifique bicyclette de course – une Peugeot sport comme il se doit – en récompense de ses valeureux services. En outre, le Service des loisirs de la ville a décidé de confier aux deux *thám tư* la mise sur pied d'un club de détectives en herbe pour la session d'été qui va bientôt commencer.

Charlo et Alexandre n'ont plus tellement le temps de fréquenter le dépanneur. D'ailleurs, là aussi il y a du changement. Le local du *Dépanneur de Rome* s'agrandit. Jean fait construire une annexe. Et c'est Cléo Dubé qui va y emménager son vidéo-club. Comme ça, les deux amoureux ne seront séparés que par quelques comptoirs. Dans le local que Cléo va quitter, savez-vous ce qu'ils vont installer tous les deux?

Une pizzeria!

Les travaux d'aménagement commencent cette semaine. Le nom du restaurant est déjà trouvé. Ça va s'appeler CHEZ GUIMAUVE! On y dégustera, à coup sûr, la meilleure pizza en ville. Celle qu'on garnit avec une double ration de fromage.

Achevé d'imprimer sur les presses
de l'Imprimerie l'Éclaireur
Beauceville (Québec)
5M1087